# i Lupetti

Traduzione di Giorgio Gilibert

ISBN 88-477-0142-2
Titolo originale: Dr Xargle's Book of Earth Hounds
Prima pubblicazione 1989, Andersen Press Ltd., Londra
© 1989, Jeanne Willis per il testo
© 1989, Tony Ross per le illustrazioni
© 1997, Edizioni **EL** S.r.l. - Trieste
via San Francesco, 62   Tel. 040/637969 - 637763   Fax 637866
Progetto grafico della copertina: EX NOVO, Bologna

# Il dottor Xorgol
## Il grande libro dei cani terrestri

Jeanne Willis
illustrato da Tony Ross

Edizioni EL

Buongiorno, bambini!

Oggi vi parlerò dei cani della Terra.

Dunque, i cani terrestri hanno
un paio di zanne affilate
davanti, e una coda
a spazzola dietro.

Per capire da che parte
è la testa, conviene agitare
un salsicciotto davanti
alle due estremità del corpo.

I cani terrestri hanno
gli occhi tondi, il naso
con due buchi e una
lunghissima lingua rosa.

Usano la loro lunghissima
lingua rosa per leccarsi
davanti e anche di dietro,

ma anche per leccare
di nascosto il gelato
ai piccoli terrestri distratti.

I cani terrestri stanno
su quattro, tre, e anche
due sole zampe.
La loro specialità è il salto
sull'arrosto.

A pranzo mangiano
la pappa, una montagna
di biscotti a forma di osso,
i dolci piú buoni del mondo,

ma assaggiano anche
un pezzetto del piú prezioso
tappeto di casa e un calzino
usato da quattro giorni.

Dopo la grande abbuffata,
i cani terrestri vengono portati
in un luogo chiamato
«a passeggio», dove i lampioni
spuntano come funghi.

Durante queste passeggiate,
il cane terrestre viene trascinato
al guinzaglio.

Al parco, il grande terrestre
raccoglie un bastone e
lo scaglia lontano.
Il cane terrestre glielo deve
riportare.

Poi il grande terrestre
prende una palla e la lancia
nel laghetto.

Stavolta tocca
al grande terrestre
andarla a ripescare.

Sulla strada del ritorno,
il cane terrestre si rotola
nella cacca di una Muu
con le corna.

Quando arriva a casa
è cosí sporco, che
va a nascondersi nel letto
del grande terrestre.

E ora, impariamo a memoria
alcune frasi fondamentali:
– Dove si è cacciato Fido?
– Bleah, che puzza di cacca!
– Basta, o lui o me!

I cani terrestri sono allergici
al bagnoschiuma.
Costretti a mollo nella tinozza,
mettono la coda fra le zampe
e lanciano dei Bau Bau che
fanno venire la pelle d'oca.

Tornati come nuovi, per
asciugarsi corrono subito
a strofinarsi su un bel
mucchietto di letame.

Ecco un cucciolo di cane
terrestre che fa la nanna nella
pantofola di un grande terrestre.

Il grande terrestre ha steso
a terra dei giornali, perché
il cucciolo impari a leggere.

Bene, ragazzi,
la lezione è finita.

Se promettete di comportarvi
bene, vi porto sulla Terra
a giocare con un cane
in carne e ossa.

Chi desidera portare con sé
il proprio animaletto, è pregato
di prendere posto in fondo
alla navicella spaziale!

# Biografie

Sono nata il 5 novembre 1959 a Saint Albans in Inghilterra. Ero la seconda figlia in una famiglia di professori, e ho cominciato a scrivere appena ho imparato a tenere in mano una matita. Dopo aver compiuto gli studi letterari, ho lavorato nella pubblicità: inventavo gli slogan. Poi mi è venuta voglia di scrivere libri per bambini. Mi piace molto lavorare con Susan Varley: insieme a lei ho fatto *Il piccolo mostro*, che è stato pubblicato nella collana «Un libro in tasca», delle Edizioni EL.

**Jeanne Willis**

**Tony Ross** vive in Inghilterra con la moglie e le figlie, in una splendida vecchia casa sulla riva del mare.
Dopo gli studi ha lavorato nel campo della pubblicità, e poi è diventato professore alla Scuola di Belle Arti di Manchester, da dove sono usciti molti bravi giovani illustratori.

Ma la cosa che gli piace di piú è raccontare storie ai bambini, e farli ridere. Tony Ross crede a Babbo Natale e ama moltissimo le storie che in apparenza fanno paura, ma in realtà rassicurano i bambini. Di solito le illustra usando delle immagini scherzose e un po' irriverenti, mettendoci un sacco di particolari di sua invenzione.

Nella collana «Un libro in tasca» delle Edizioni EL ci sono altri libri illustrati da Tony Ross: *Ricciolo d'oro e i tre orsi*, *Cappuccetto rosso*, *Il gatto con gli stivali*, *Tristano la peste*, *Hansel e Gretel*, *Adesso ti prendo!*

# 🐾 i Lupetti

Finito di stampare
nel mese di ottobre 1997 dalla
Società Editoriale Libraria p.a. - Trieste